		Funktion – Inhalt	Seite
1	Wie geht der Satz weiter? **Vervollständigen Sie den jeweiligen Satz.**	(Satzfragment zu Satzfragment) Sätze ergänzen	8
2	Wo ist der gleiche Bildausschnitt? **Finden Sie den gleichen Bildausschnitt.**	(Bild zu Bild) Teile – Ganzes erkennen	10
3	Wo findet sich das Bilder-Quartett wieder? **Suchen Sie das gemerkte Bilder-Quartett.**	(Bild zu Bild) Bilder merken – Quartette suchen	12 + 14
4	Wo findet sich das Buchstaben-Quartett wieder? **Suchen Sie das gemerkte Buchstaben-Quartett.**	(Buchstabe zu Buchstabe) Buchstaben merken – Quartette suchen	13 + 15
5	Welche Listen gehören zusammen? **Finden Sie die passende Liste.**	(Wort zu Wort) Planungslisten zusammenführen	16
6	Was gehört zusammen? **Finden Sie den korrekten Satz und rechnen Sie.**	(Satz zu Satzfragment) Kontexte assoziieren und rechnen	18
7	Welche Aussage passt zum Thema des Icons? **Finden Sie den passenden Satz und rechnen Sie.**	(Satz zu Icon) Aussagen zuordnen und rechnen	20
8	Welches Wort fehlt im Text? **Finden Sie das passende Wort.**	(Wort zu Satz / Text) Text vervollständigen	22
9	Welcher Vormittag / Nachmittag im Terminkalender passt? **Lesen Sie die Sätze und ordnen Sie die Kundenwünsche den Vor- und Nachmittagen im Terminkalender zu.**	(Satzfragment zu Satz / Textfragment) Termine planen I	24
10	Welche Frage passt zur vorgegebenen Antwort? **Finden Sie die passende Frage.**	(Satz zu Satz) Fragen zu Antworten finden	26
11	Welche Uhrzeit / Zeitangabe ist richtig? **Finden Sie die passende Zeit zum beschriebenen Ereignis.**	(Zahl zu Text) Zeitangaben berechnen	28
12	Welche U-Bahnen führen Sie ans Ziel? **Finden Sie die richtige U-Bahn-Verbindung.**	(Buchstabe / Zahl zu Wort) Verkehrsverbindungen planen	30
13	Wie viele Kilometer werden gefahren? **Errechnen Sie die Anzahl der Kilometer.**	(Zahl zu Satzfragment / Text) Fahrstrecken berechnen	32
14	Welcher Termin der Arbeitswoche passt? **Lesen Sie die Sätze und ordnen Sie die Ereignisse den Zeiten im Terminkalender zu.**	(Zahl zu Satz) Termine planen II	34

Neuropsychologische Basisfunktionen als Inhalt der logopädischen Therapie

Die Berücksichtigung neuropsychologischer Basisfunktionen ist in der logopädischen Behandlung von Patienten mit neurologischen Sprach- und Sprechstörungen wichtig. Wenn Störungen des Gedächtnisses, der geteilten Aufmerksamkeit und der Planungskompetenz die Kommunikationsstörung begleiten, müssen diese auch behandelt werden. Das betrifft sowohl Patienten mit einer Aphasie oder einem dementiellen Sprachabbau als auch Dysarthriepatienten oder Menschen mit einer rechtshemisphärischen Schädigung ohne klassisches, zuzuordnendes logopädisches Störungsbild.

Beeinträchtigungen der neurologischen Basisfunktionen im Vorfeld von Sprache sind keineswegs ausschließlich ein Merkmal einer schweren Aphasie oder einer fortgeschrittenen Demenz. Gerade bei Menschen mit Restaphasien ist es typisch, dass eine allgemeine Verlangsamung, ein Verlust der Automatisierung bezüglich aller höheren Hirnfunktionen, gewisse Kontroll- oder Orientierungsprobleme und die Einbuße der geteilten Aufmerksamkeit (als Voraussetzung für Multitasking) die Rückkehr zur Sprachfähigkeit auf dem Niveau vor dem Ereignis verhindern und damit die Wiederaufnahme des Berufs teils drastisch erschweren.

Die Zusammenarbeit mit der Neuropsychologie ist wünschenswert. Während sie im stationären Reha-Setting auch möglich ist, fehlt die kooperative Abstimmung in der ambulanten Therapie weitestgehend und die Logopädin oder der Logopäde sind auf sich allein gestellt.

Die Hefte **miniLÜK® Sprachtherapie – Hirnfunktionstraining** nehmen sich dieses Themas an. Die Übungen der Hefte 1 – 3 zur Informationsverarbeitung liegen vom Schwierigkeitsgrad her deutlich weiter auseinander als die Hefte 4 – 6. Jedes Heft ist dabei einer einzigen Niveaustufe (Basis, Alltag, oder Beruf) gewidmet. Die Informationsverarbeitungsgeschwindigkeit kann mit den Heften 4 (Basis/Alltag) und 5 (Beruf) geübt werden. Die Planungskompetenz ist das Thema des vorliegenden Heftes 6 (Alltag/Beruf).

Das Ziel der Rehabilitation von Menschen mit einer Hirnschädigung ist die Fähigkeit, größtmögliche Autonomie in allen Lebensbereichen zu erreichen. Damit ist die Bewältigung des Alltags in Familie, Beruf, Freizeit und Öffentlichem Leben gemeint.

Die Bedeutung der Planungskompetenz

Kognition und Sprache/Kommunikation sind ineinander verschränkte Prozesse und Leistungen. Sprache umfasst sowohl die Lautsprache, als auch die Schriftsprache. Im Kontext gesprochener Sprache geht es um das Verstehen und Hervorbringen sprachlicher Einheiten (in Form von Wörtern, Sätzen und Texten) zur Verständigung sowie um die inhaltliche Kooperation und die zeitlich-rhythmische

Koordination in Gesprächen. Im Rahmen der Schriftsprache umfasst Sprache Lesen, Schreiben und Handeln mit modernen Medien. Beide, Lautsprache wie Schriftsprache, sind an unterschiedliche motorische Voraussetzungen geknüpft. Sprache stellt folglich komplexe koordinative Anforderungen.

Das Heft Planungskompetenz in der Reihe **miniLÜK® Sprachtherapie – Hirnfunktionstraining** bietet Übungen mit aufsteigendem Schwierigkeitsgrad an. Im Fokus stehen die Fähigkeiten

- Inhalte im Gedächtnis bereitzuhalten
- serielle Abläufe zu managen und logisch Schlussfolgerungen zu ziehen
- den roten Faden im Gespräch im Blick zu behalten und
- kognitive Umschaltprozesse zu bewältigen

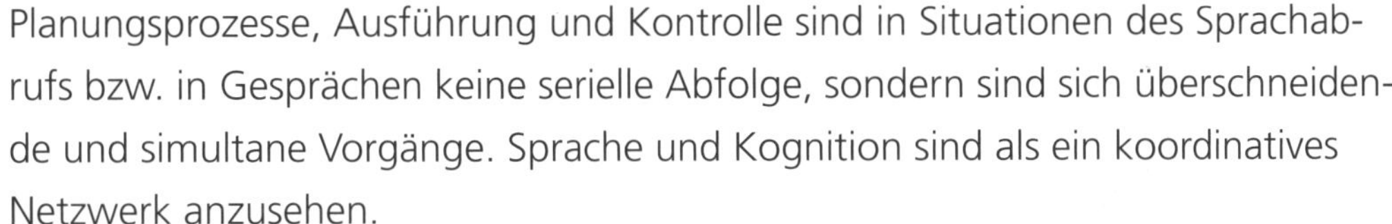
Planungsprozesse, Ausführung und Kontrolle sind in Situationen des Sprachabrufs bzw. in Gesprächen keine serielle Abfolge, sondern sind sich überschneidende und simultane Vorgänge. Sprache und Kognition sind als ein koordinatives Netzwerk anzusehen.

Am Beispiel des Sprechvorgangs wird die Komplexität dieses koordinativen Netzwerkes zwischen Kognition und Kommunikation und zwischen Planung, Ausführung und Kontrolle sichtbar. Es wird klar, dass wir auf verschiedenen Stufen präzise und mit hohem Tempo agieren müssen. Die Kaskade der Ereignisse kann wie folgt benannt werden:

- Von der Situation, der Wahrnehmung und Emotion zur Intention (1),
- von der Intention über Gedächtnis und Kognition zum vorsprachlichen Konzept (2),
- vom vorsprachlichen Konzept zu einer sprachlichen Grobstruktur von Auswahl und Reihenfolge einzelner Bausteine auf Konstituenten-, Wort- und Silbenebene (3),
- von der sprachlichen Grobstruktur zum Sprechstart und zur weiteren automatisiert-programmhaften Ausführung (80-Millisekunden-Takt) (4),
- von der vollzogenen Sprachäußerung zu einem inneren Monitoring des Sprechers mit der Option der Selbstkorrektur (5),
- von der vollzogenen Sprachäußerung zu einem äußeren Monitoring des Hörers mit der Option der Fremdkorrektur, der Bestätigung oder sonstiger Reaktionen (6),
- von der Reaktion des Gesprächspartners zu weiteren Intentionen im nächsten Turn (7).

Wenn eine Sprecherin oder ein Sprecher in Schritt 4 den Sprechvorgang ausführt und der Satz beginnt mit „Der erste Aspekt dieser Sache ist …", dann ist auf der Intentionsebene (Schritt 1) bereits „der zweite Aspekt …" intendiert und dann auch auf der nächsten Stufe (Schritt 2) vorkonzeptioniert, während die Äußerung selbst weiter läuft und die Schritte 5 – 7 der Kontrolle die volle Energie des Sprechers beanspruchen.

Das vorliegende Heft **miniLÜK® Sprachtherapie – Hirnfunktionstraining 6** enthält teils anspruchsvolle Aufgaben, die nicht jede Patientin und jeder Patient bewältigen kann. Ausgangspunkt ist eine kognitive Leistungsfähigkeit, mit der die Hefte 1 – 2 sowie Heft 4 bewältigt werden können. Wer sich der Planung und der Kontrolle stellt, ist über die Basis der Informationsverarbeitung deutlich hinaus.

In zwei Aufgaben des Heftes wird die Hauptaufgabe von einer Nebenaufgabe begleitet, um eine „Multitasking-Situation" herzustellen. Statt Multitasking sprechen wir besser von Umschaltprozessen oder von kognitiver Flexibilität.

Im heutigen Berufsleben sind Teamkompetenzen mit Kommunikationsfähigkeit, Belastungsfähigkeit, kognitive Flexibilität und damit verbunden Recherche- und Organisationsleistungen unter Zeitdruck gefragt. Planung und Kontrolle aller Prozesse sind entscheidend. Aber auch im Alltag spielt das Planen- und Kontrollieren-Können eine wichtige Rolle.

Anders als in den Heften 1 – 5, in denen der LÜK-Kasten optional oder zur Steigerung der Anforderung eingesetzt werden kann, sollte der **miniLÜK®-Kasten** in Heft 6 unbedingt zum Einsatz kommen, um die Anzahl dieser Umschaltprozesse zu erhöhen. Er ist Teil des Anforderungsniveus des Heftes und sein Einsatz erfordert eine Bearbeitung eines weiteren Nebenschauplatzes. Die Komplexität der Aufgabe wird damit für Patienten nach einem neurologischen Ereignis deutlich erhöht.

Ineinandergreifen von Diagnostik, Therapie und Evaluation

In den Heften 4 und 5 zur Verarbeitungsgeschwindigkeit von Informationen werden die Aufgaben bewusst unter dem Aspekt Tempo/Zeit angeboten. Alle Hefte der **miniLÜK®-Reihe Sprachtherapie – Hirnfunktionstraining**, so auch Heft 6, eignen sich aber auch für eine sehr individuelle Leistungseinschätzung bzw. eine informelle Arbeitsleistungs-Diagnostik. Eine Tabelle als Instrument für eine Leistungsmessung findet sich auch in diesem Heft (Seiten 38 und 39).

Der Leistungs-Verlauf der individuellen Entwicklung ist dabei zunächst wichtiger als der Leistungsvergleich. Die Leistungs-Annäherung an Vergleichspersonen ohne Hirnschädigung wird dann bedeutsam, wenn die Frage der weiteren Berufsausübung zur Beantwortung ansteht. Je realistischer ein Berufseinstieg wird, desto mehr tritt also der interindividuelle Leistungsvergleich ins Zentrum der Betrachtung und des therapeutischen Gesprächs.

Hirnfunktionstraining in der Sprachtherapie und seine Grenzen
Kognition, Gedächtnis, Wahrnehmung (visio-perzeptive Einschränkungen), Orientierung, Konzentration, (geteilte) Aufmerksamkeit, exekutive Funktionen sowie Affektkontrolle haben sprachermöglichende oder sprachunterstützende Funktion.

Ein spezielles Training sollte in die Hände der Neuropsychologie gelegt werden. Logopädinnen und Logopäden empfehlen wir die **miniLÜK®-Arbeitshefte der Reihe Sprachtherapie – Hirnfunktionstraining**.

Die Gruppe der Patienten mit kognitiven Kommunikationsstörungen ist facettenreich und betrifft neben denen mit klassischen Aphasien auch Menschen mit Schädelhirntraumen, rechtshämisphärischen Schädigungen, Frontalhirnläsionen oder Patienten mit Multiinfarkt-Syndrom. Auch Patienten mit Hirnfunktionsstörungen ohne logopädische Indikation können in der Ergotherapie durch die Arbeit mit den **miniLÜK®-Arbeitsheften** von einer allgemeinen Aktivierung der Informationsverarbeitung profitieren.

Informationsverarbeitung verbessern mit LÜK
Mit den **miniLÜK®-Arbeitsheften Sprachtherapie – Hirnfunktionstraining** sind Übungen im Schnittpunkt von kognitiver und sprachlicher Verarbeitung in Printform möglich. Der Arbeitsumfang jeder einzelnen Übung ist überschaubar und konstant: Die Aufgabe wird mit einer einfachen Frage eingeführt und in zwölf Durchgängen erarbeitet. Das Ergebnis kann mit einem Partner/Therapeuten oder dem LÜK-Kasten kontrolliert werden.

LÜK® versteht sich als Ergänzung zu Computer-Programmen. Die Hefte sind unkompliziert, stehen unmittelbar zur Verfügung und können mit geringem finanziellem Aufwand, auch von den Betroffenen selbst, erworben werden. Sie eignen sich besonders für das Setting der ‚Angeleiteten Eigenarbeit', wodurch die Therapiefrequenz erhöht wird, was wesentlich zum Therapieerfolg beitragen kann.

Arbeiten mit miniLÜK®-Arbeitsheft 6
Die kognitive Operation der LÜK®-Hefte ist konstant die Zuordnung. Für die Bearbeitung der Schnittstelle von kognitiven und sprachlichen Leistungen mit den **LÜK®-Heften** haben wir eine Systematik entwickelt, die wir als Informations-Matrix bezeichnet haben. Bilder, Icons (Symbole) und Zahlen decken den nichtsprachlichen Bereich, Buchstaben, Wörter, Sätze, Satz-/Textfragmente und Texte die Schriftsprache ab.
Die zu verarbeitenden sprachlichen und nichtsprachlichen Informationen in den Aufgaben sind größtenteils kommunikations- bzw. alltagsrelevant (wodurch sich nach Abschluss der Einzelübung wertvolle Gesprächsanlässe ergeben).

Heft 6 Planungskompetenz differenziert die beiden Niveaustufen Alltag und Beruf im gleichen Heft über die Reihenfolge des Übungsangebotes. Die Übungen orientierten sich an der Informations-Matrix. Für die Zuordnungen werden Bilder, Icon, Zahlen, Buchstaben, Wörter, Sätze, Satzfragmente, Textfragmente und Texte verwendet.

Informations-Matrix für Heft 6 – Die Zahlen in der Tabelle entsprechen der Übungsnummer.

		Bild	Icon	Zahl	Buchstabe	Wort	Satzfragment	Satz	Textfragment	Text
1	Bild	2, 3, 4								
2	Icon									
3	Zahl						13	14		11, 13
4	Buchstabe			12	4	12				
5	Wort					5		8		8
6	Satzfragment						1	9	9	
7	Satz		7				6	10		
8	Textfragment									
9	Text									

Vorübung vor dem Start in das LÜK®-Heft

Das Arbeitsheft kann mit oder ohne LÜK®-Kasten eingesetzt werden. Wir empfehlen, den Patienten vor dem eigentlichen Üben mit den Aufgaben und der Arbeitsweise des Heftes vertraut zu machen. Kommt der LÜK®-Kasten zum Einsatz, sollte der Umgang mit den Zahlen-Plättchen zusammen mit der Therapeutin geübt werden.

Die Therapeutin legt z.B. die Zahlenplättchen in korrekter oder vermischter Reihenfolge vor den Patienten, der aufgefordert wird, die Zahlenplättchen den entsprechenden Zahlen im miniLÜK®-Kasten zuzuordnen.

Selbst wenn der LÜK®-Kasten im späteren Verlauf nicht eingesetzt wird, macht eine Beispielübung mit dem Kasten das Grundprinzip der Aufgaben im Heft klar und sichert beim Patienten das Verständnis: Es geht um die Zuordnung von Einheiten zueinander. Die Anleitung für die Therapeutin, bzw. für die helfende Person, zum Einsatz des LÜK®-Kastens steht auf den Seiten 36 – 37.

Die Tabelle zur Selbst- und Fremdeinschätzung der Leistung Informationen unter Zeit-Aspekt zu verarbeiten findet sich auf Seite 38 – 39.

Wie geht der Satz weiter?

Vervollständigen Sie den jeweiligen Satz.

1. Wenn ich schlecht sehe, …
2. Wenn ein Kunde um einen Termin bittet, an dem mein Terminkalender voll ist, …
3. Wenn man einen neuen Job möchte, …
4. Wenn es regnet, …
5. Wenn man eine Aufgabe vom Chef bekommt, …
6. Wenn einem etwas dazwischen kommt, …
7. Wenn man oft krank ist, …
8. Wenn man klug argumentiert, …
9. Wenn man viel in der Sonne ist, …
10. Wenn man ein Regal aufhängen will, …
11. Wenn man eine Geburtstagsparty machen möchte, ...
12. Wenn man einen Hund hat, …

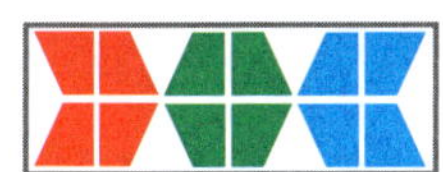

9
… dann braucht man einen Bohrer.

11
… dann überzeugt man Gesprächspartner ggf. vom Gegenteil.

7
… dann sollte man eine Creme mit Lichtschutzfaktor auftragen.

6
… dann muss man täglich Gassi gehen.

12
… dann sollte man absagen.

4
… dann nimmt man einen Regenschirm mit.

3
… dann brauche ich eine Brille.

2
… dann muss man sich bewerben.

1
… dann sollte man Einladungen verschicken.

10
… dann sollte man sich gesund ernähren und Sport treiben.

8
… dann sollte man sie ordentlich erledigen.

5
… dann lege ich ihn auf einen Tag, der nicht belegt ist.

Wo ist der gleiche Bildausschnitt?

Finden Sie den gleichen Bildausschnitt.

9	12	6
10	11	7
2	1	3
8	5	4

Wo findet sich das Bilder-Quartett wieder?

Lösungen zu dieser Übung auf Seite 14 (linke Seite). Merken Sie sich ein Bilder-Quartett und blättern Sie um. Suchen Sie das gemerkte Bilder-Quartett.

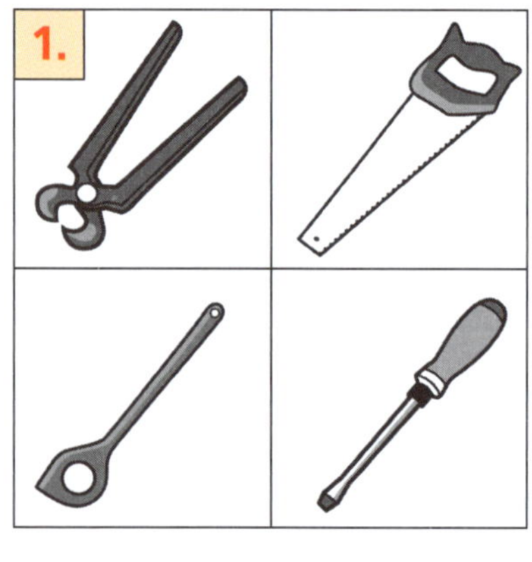

Wo findet sich das Buchstaben-Quartett wieder?

Lösungen zu dieser Übung auf Seite 15 (rechte Seite). Merken Sie sich ein Buchstaben-Quartett und blättern Sie um. Suchen Sie das gemerkte Buchstaben-Quartett.

1.

A	S
W	C

2.

R	A
F	O

3.

W	E
K	D

4.

R	U
L	O

5.

M	B
D	A

6.

A	X
P	C

7.

W	N
M	D

8.

M	S
O	A

9.

A	T
B	C

10.

R	G
H	O

11.

W	H
X	D

12.

M	R
P	A

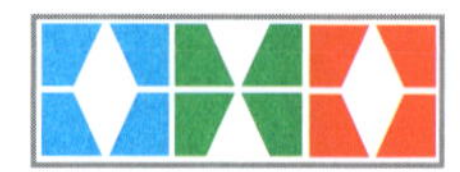

12

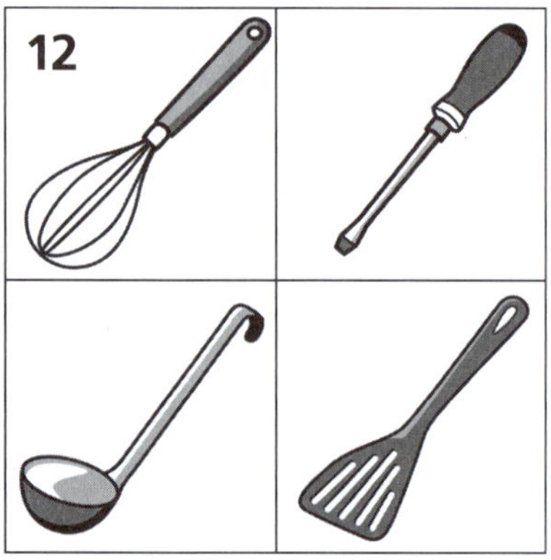

6

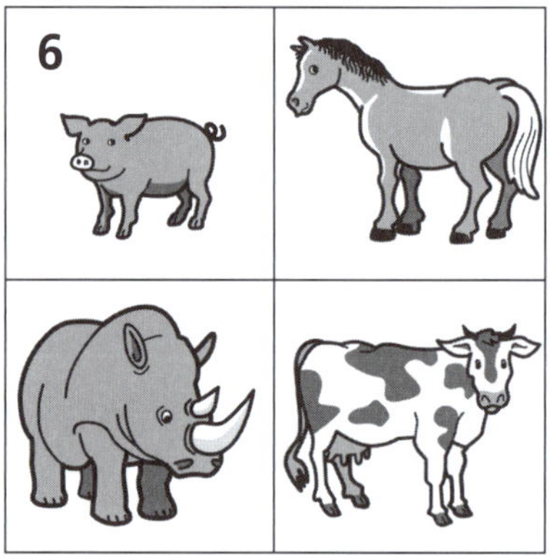

2

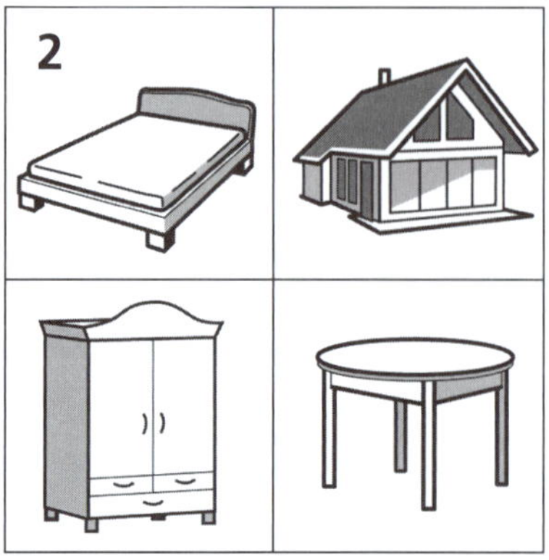

10

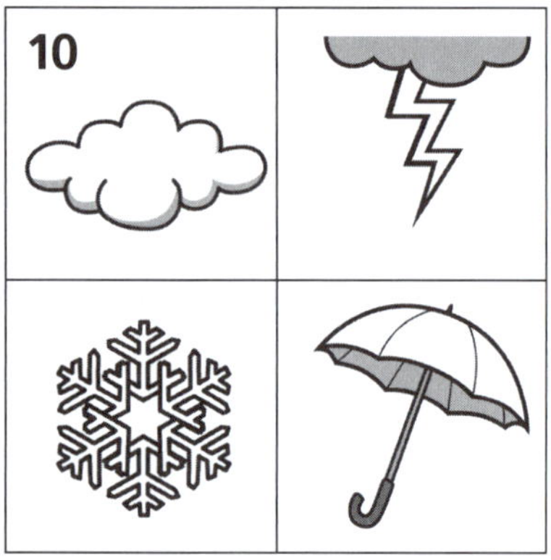

1

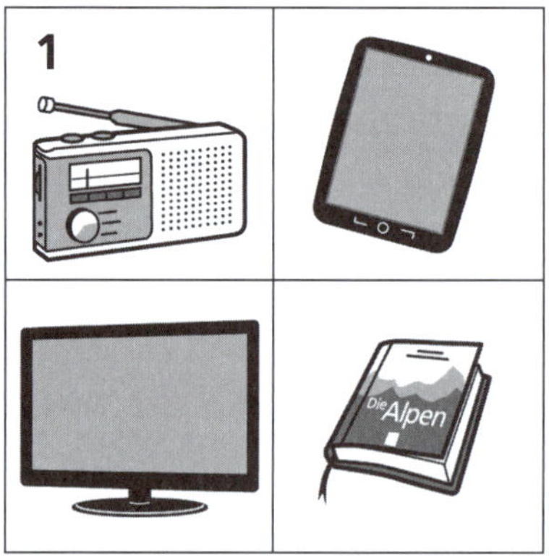

Die Alpen

9

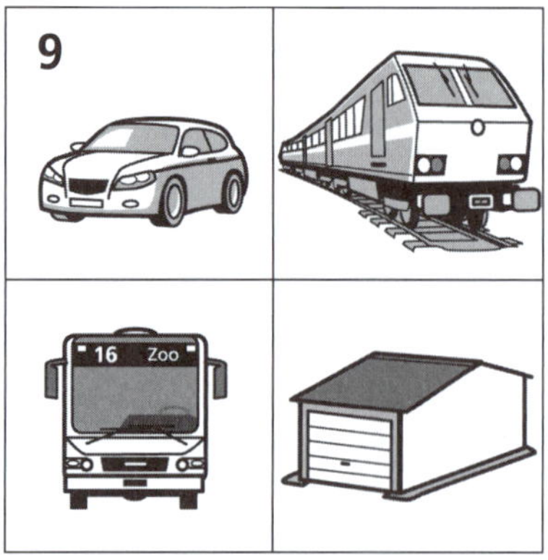

16 Zoo

11

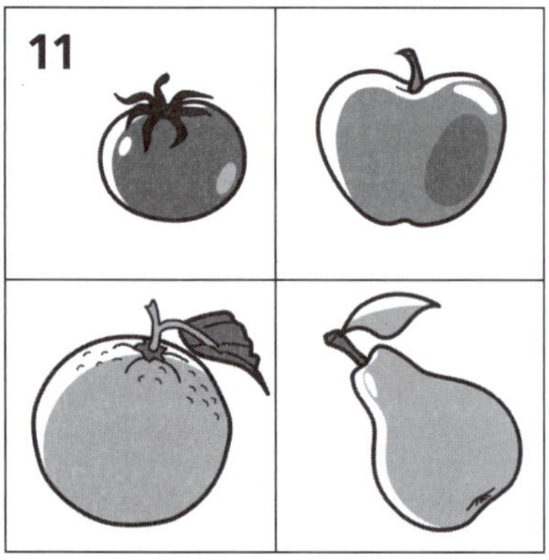

8

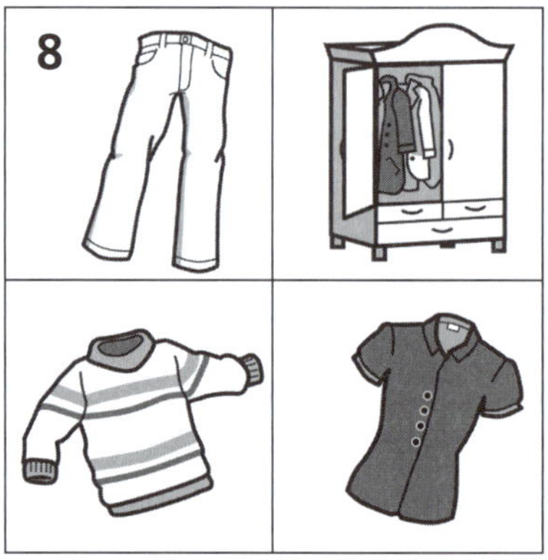

4

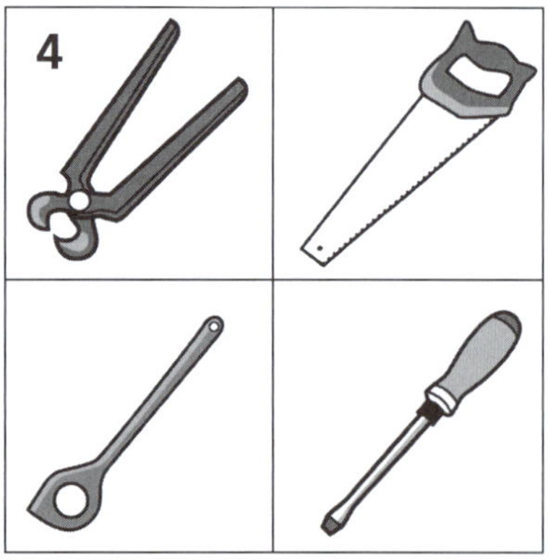

3	
A	T
B	C

12	
R	U
L	O

9	
W	H
X	D

5	
R	G
H	O

2	
M	R
P	A

11	
A	S
W	C

4	
W	E
K	D

10	
M	B
D	A

7	
R	A
F	O

8	
A	X
P	C

6	
W	N
M	D

1	
M	S
O	A

Welche Listen gehören zusammen?

Finden Sie die passende Liste.

1. Wasser, Mahlwerk, Filter
2. Kleid, Brautstrauß, Ringe
3. Anleitung, Schraubenzieher, Einzelteile
4. Tonne, Rasenmäher, Rechen
5. Tickets, Stehplätze, Terminkalender
6. Referenzadresse, Anschreiben, Zeugnis
7. Ziel, Flug, Hotel
8. Baufirma, Architekt, Baugrube
9. Makler, Vorbesitzer, Notar
10. Karten, Popcorn, Film
11. Strecke, Pulsmesser, Laufschuhe
12. Kisten, Umzugsfirma, Kommode

2 Dünger, Erde, Blumenzwiebel

11 Zimmermann, Dachdecker, Grundstück

5 Torte, DJ, Kutsche

1 Leinwand, 3-D-Brille, Getränk

8 Zeitraum, Urlaubsantrag, Wetterbericht

4 Trainingshose, Kopfhörer, Handy

6 Seidenpapier, Transporter, Sackkarre

10 Besichtigung, Kaufvertrag, Grundbucheintrag

12 Weiterbildungsnachweis, Foto, Lebenslauf

3 Gehörschutz, Fanartikel, Musik

7 Bohne, Tasse, Milch

9 Inbus, Schrauben, Dübel

Was gehört zusammen?

Finden Sie den korrekten Satz und rechnen Sie. Das Ergebnis Ihrer Rechnung ergibt die Lösungsnummer zur Aufgabe.

1. Medikament geben
2. Bahn fahren
3. Arbeitsblätter kopieren
4. Foto machen
5. Pullover stricken
6. Asiatisch essen
7. Mülleimer leeren
8. E-Mail schreiben
9. Zeitung lesen
10. Schach spielen
11. Sport treiben
12. Musik hören

3 × 3 = ?	Das Paar streitet sich über Zuständigkeiten im Haushalt.
9 – 6 = ?	Durch das neue Objektiv werden viele Details sichtbar.
2 × 3 = ?	Der Chef kann selbst im Urlaub seinen Laptop nicht ruhen lassen.
7 + 4 = ?	Die Band ist ein absoluter Klassiker.
10 – 3 = ?	Die Lehrerin bereitet Unterrichtsmaterialien vor.
4 + 4 = ?	Die Joggingstrecke beträgt 5 Kilometer.
1 + 1 = ?	„Und so eine Schlagzeile schon am frühen Morgen!"
4 + 1 = ?	Mein Gericht im Thai-Restaurant war sehr scharf.
10 – 9 = ?	In der Stadt hat ein neues Geschäft aufgemacht, das Wollparadies.
6 × 2 = ?	Sein Zug hat mal wieder Verspätung.
12 – 2 = ?	Ich habe lange überlegt, ob ich den Bauern bewegen soll.
2 × 2 = ?	Die Mutter gibt dem Kind den Hustensaft.

Welche Aussage passt zum Thema des Icons?

Finden Sie den passenden Satz und rechnen Sie.
Das Ergebnis der Rechnung ergibt die Lösungsnummer zur Aufgabe.

1.

2.

3.

4.

5.

6.

7.

8.

9.

10.

11.

12.

9 – 2 = ?	Bäume sind wichtig für das Klima.
2 + 10 = ?	In der Flut von E-Mails ist ein Brief etwas Besonderes.
3 + 2 = ?	Autofahren wird immer teurer.
3 × 3 = ?	In Australien müssen sich Menschen besonders vor der intensiven Sonne schützen.
10 + 1 = ?	Die Nutzung des öffentlichen Verkehrs schont die Umwelt.
5 – 3 = ?	Ein Theater oder eine Oper sollte barrierefrei zugänglich sein.
4 + 4 = ?	Camping ist preiswerter als ein All-inklusive-Urlaub.
12 – 2 = ?	Eine gesunde Ernährung ist wichtig.
1 + 2 = ?	Bei manchen Veranstaltungen werden die Zuhörer gebeten, ihre Handys auszuschalten.
1 × 1 = ?	Wohnsiedlungen müssen eine Fläche zum Spielen haben.
7 – 3 = ?	Die Zunahme des Flugverkehrs belastet die Umwelt.
6 × 1 = ?	Die Zunahme des Plastikmülls ist besorgniserregend.

Welches Wort fehlt im Text?

Finden Sie das passende Wort.

Der Bürotag beginnt. Herr Weidner arbeitet in einer Werbeagentur. 1. _______ nimmt sich einen Kaffee und fährt seinen Laptop 2. _______ . Er teilt das Büro mit Frau Meinrad. 3. _______ ist seit acht Jahren in der Firma. Herr Weidner arbeitet konzentriert an einem Text. Er hebt bestimmte Aussagen besonders 4. _______ . Ein Text ist verständlich, wenn man 5. _______ Sätze nur einmal lesen muss. Jedem Abschnitt fügt Herr Weidner ein Bild 6. _______ .

Jedes Bild wählt er mit Sorgfalt 7. _______ . Im Intranet stehen Bilder 8. _______ . Herr Weidner ruft die entsprechende Datei 9. _______ . Mit dem Intranet gibt es aber teils Probleme. 10. _______ ist manchmal langsam und sperrig. Sich darum zu kümmern, ist Aufgabe 11. _______ IT-Abteilung. Wenn der Text fertig ist, muss er noch einmal Korrektur gelesen 12. _______ .

10	Es
3	hervor
2	die
11	hoch
7	der
5	bereit
12	werden
1	auf
6	hinzu
8	Sie
4	Er
9	aus

Welcher Vormittag / Nachmittag im Terminkalender passt?

Lesen Sie die Sätze und ordnen Sie die Kundenwünsche den Vor- und Nachmittagen im Terminkalender zu.

Vor Weihnachten hat die Schreinerei Winterholler viel zu tun. In der zweiten Dezemberwoche arbeitet das Team auch am Samstag. Die Kundentermine der kommenden Woche werden geplant. Pro Baustelle wird ein halber Arbeitstag veranschlagt.

1. Herr Müller kann nur am Donnerstag morgens.
2. Familie Berger möchte einen Termin am Freitagnachmittag.
3. Frau Jäger wohnt im gleichen Haus wie Herr Müller. Sie ist flexibel. Die Monteure wollen den Termin von Frau Jäger und den von Herrn Müller direkt nacheinander legen.
4. Frau Meier kann entweder am Donnerstag, ganztägig oder Montag, morgens.
5. Familie Gellert ist Donnerstag und Freitag ganztägig flexibel.
6. Herr Arnold kann von Montag bis Freitag nicht. Nachmittags möchte er keine Termine machen.
7. Familie Schmidt ist auf Montag am Nachmittag festgelegt.
8. Frau Christen hat sich für die Handwerker am Dienstagmorgen frei genommen.
9. Frau Schubert möchte einen Termin morgens. Und zwar am Dienstag oder am Mittwoch.
10. Familie Dornbusch kann nur am Dienstagnachmittag die Handwerker empfangen.
11. Herr Ernst ist die ganze Woche auf Dienstreise. Für die neu montierte Küche muss nur noch eine kleine Reklamation erledigt werden. Er hat sich widerwillig auf den Samstag eingelassen.
12. Familie Hansen hat den Termin verschoben. Dieser liegt neu auf dem Mittwoch, nachmittags.

			Ordner	Schreibtisch
Termine Heute · Datum suchen	Tage · Wochen · Monate	neuer Termin · Termine ändern	E-Mail schreiben	Adressbuch · Adresse suchen

Terminkalender durchsuchen

	Montag	Dienstag	Mittwoch
Vormittag	10	12	2
Nachmittag	4	3	11

	Donnerstag	Freitag	Samstag
Vormittag	9	7	5
Nachmittag	1	6	8

10:05 23.04.20 . .

Welche Frage passt zur vorgegebenen Antwort?

Finden Sie die passende Frage.

1. Nein danke, ich habe leider eine Nussallergie.

2. Ich kenne mich nicht aus, aber ich werde es finden.

3. Gerne, ich habe großen Hunger.

4. Ja, ich kann nicht klagen.

5. Sie ist mir heruntergefallen und zerbrochen.

6. Den habe ich selbst gemacht.

7. Es liegt in der Schublade.

8. Falls Schnee liegt, will ich Skifahren oder Wandern.

9. Berühre das Icon und drücke auf Aufnahme.

10. Ja gerne, ich brauche noch Handcreme.

11. Nein, es war noch gelb.

12. Nein, ich habe nichts gehört.

10	Geht es dir gut?
9	Möchtest du ein Stück Haselnusstorte?
12	Wollen wir spontan zusammen Mittagessen gehen?
4	Haben wir noch Geschenkpapier?
3	Kann ich dir etwas aus der Drogerie mitbringen?
1	Was machst du morgen?
11	Wie funktioniert die Sprach-App des neuen Handys?
8	Woher hast du diesen tollen Schal?
6	Wo ist die alte Porzellanvase?
7	Treffen wir uns am Buchladen an der Ecke Olgastrasse?
2	Hat das Telefon geklingelt, als ich weg war?
5	War die Ampel eben nicht schon rot?

Welche Uhrzeit / Zeitangabe ist richtig?

Finden Sie die passende Zeit zum beschriebenen Ereignis.

1. Herr Müller hat sein erstes Date über Loveship um 16.30 h. Um 16.45 Uhr merkt er: Er sitzt im falschen Cafe. Nach 5 Minuten findet er per Handy den richtigen Treffpunkt. Dieser ist nur 20 Minuten entfernt. Wann kann er dort sein, falls die Dame wartet?

2. Um 13.30 Uhr hat Herr Wenzel ein Mitarbeitergespräch. Die Vorgesetzte, Frau Müller, schreibt ihm zwei Tage vorher: *Mitarbeitergespräch einen Tag früher, gleiche Uhrzeit.*

3. Ben Taylor lebt in New York. *„You can call me day and night"*, sagt er zu seiner Tochter, die in Berlin studiert, wo es 6 Stunden später ist als in New York. Die Tochter ruft ihren Vater um 15.30 Uhr an. Was zeigt Bens Uhr?

4. Frau Reger sitzt seit 45 Minuten im Wartezimmer ihres Hausarztes. Ihr Termin war um 9.30 Uhr. Es sind noch drei Patienten vor ihr. Pro Patient braucht der Arzt normalerweise 10 Minuten. Heute ist er schneller und braucht nur 5 Minuten. Wann kommt Frau Reger dran?

5. Herberts Weihnachtskekse sind in der Familie sehr beliebt. Es ist 17:10 Uhr. Sein Backofen funktioniert nicht richtig. Nach 11 Minuten nimmt er die Vanillekipferl heraus und schiebt die Brownies hinein, die bei 180 Grad 50 Minuten brauchen. Wann holt er die Brownies aus dem Ofen?

6. Roberto, 52, fuhr früher Radrennen. Er ist noch topp in Form und fährt auf ebener Strecke 32 km/h. Er startet um 9.15 Uhr. Nach 80 Kilometern macht er Pause. Was zeigt seine Uhr?

7. Herr Weber fährt von Hamburg nach München. Wenn in Mannheim die Zeit zum Umsteigen reicht, kommt er um 18.06 Uhr an. In Mannheim fahren die Züge nach München im Halbstundentakt. Laut Fahrplan kommt sein Zug in Mannheim um 15.07 Uhr an und sein Zug nach München fährt um 15.12 Uhr ab. Der Zug nach Mannheim hat 8 Minuten Verspätung. Wann kommt Herr Weber in München an?

8. Shiyan Stanfield berichtet aus Frankfurt für Hong Kong. Dort ist es durch die Zeitverschiebung 7 Stunden später. Der Artikel soll am Morgen in Hong Kong erscheinen. Dazu muss der Beitrag der Redaktion in Hong Kong um 19.15 Uhr vorliegen. Es ist 10 Uhr in Frankfurt. Wie viel Zeit hat Shiyan für letzte Überarbeitungen, wenn sie den Artikel noch rechtzeitig versenden will?

9. Der Kaiserschnitt wurde für 12.00 Uhr geplant. Das Baby kam aber 12,5 Stunden früher von allein auf die Welt. Wann ist es geboren?

10. Der heutige Flug nach Dublin um 22:30 Uhr fällt aus. Der nächste direkte Flug geht morgen um 17.30 Uhr. Wie viel Zeit verlieren die Passagiere?

11. Der Fernbus sollte um 14.30 Uhr ankommen. Es gab aber drei Staus á 30 Minuten, einen um 45 Minuten längeren Aufenthalt am Zoll als geplant und einen Notfall an Bord, der 90 Minuten in Anspruch nahm. Wann kommt der Bus an?

12. Die Teamsitzung dauert länger als geplant. Besprechungspunkt Eins soll 5, Punkt Zwei 40, Punkt Drei 15 und Punkt Vier 60 Minuten dauern. Die Punkte Zwei und Vier beanspruchen aber 25% mehr Zeit als eingeplant. Die Sitzung beginnt um 16:15 Uhr?

4	18.15 Uhr
1	10.30 Uhr
5	18.36 Uhr
10	23.30 Uhr
12	17.10 Uhr
8	13.30 Uhr
1	18.40 Uhr
7	11.45 Uhr
6	19 Stunden
2	2.15 Stunden
3	18.11 Uhr
9	9.30 Uhr

Welche U-Bahnen führen Sie ans Ziel? Nehmen Sie die Verbindung mit den wenigsten Stationen.

Finden Sie die richtigen U-Bahn-Verbindungen.

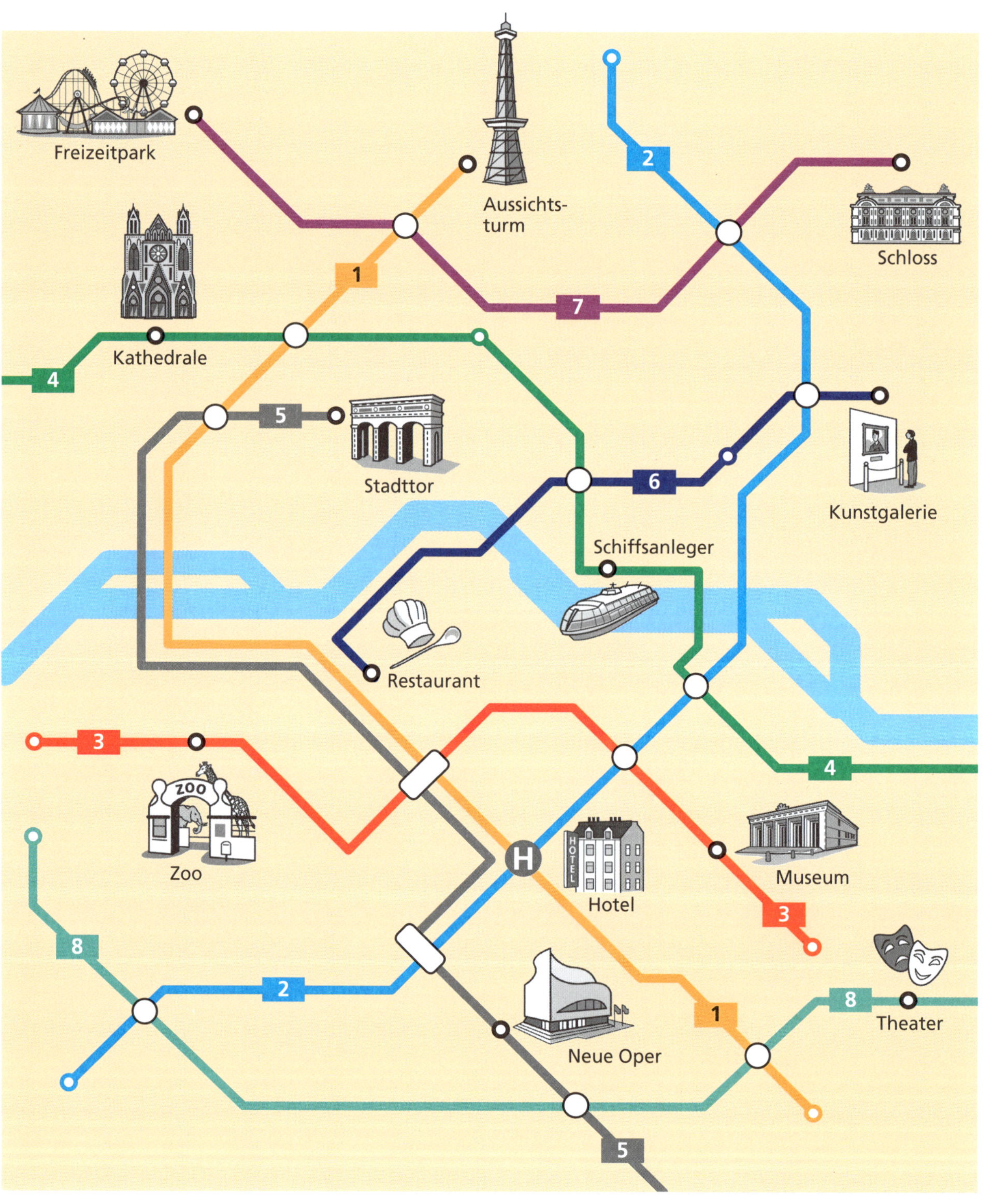

Sie machen Besichtigungen in der Stadt und wollen verschiedene Sehenswürdigkeiten besuchen. **Der Start zu Ihrem Ausflugsziel ist immer das Hotel H** am Knotenpunkt der U-Bahn Linien 1 und 2.

1.	Aussichtsturm	2	U1 + U5
2.	Zoo	11	U1 + U7
3.	Museum	5	U1
4.	Kathedrale	4	U2 + U6
5.	Schiffsanleger	8	U1 + U8
6.	Stadttor	1	U1 + U3
7.	Neue Oper	10	U2 + U7
8.	Restaurant	3	U2 + U3
9.	Kunstgalerie	12	U2 + U5
10.	Freizeitpark	9	U2 + U4
11.	Schloss	6	U1 + U4
12.	Theater	7	U2 + U4 + U6

Wie viele Kilometer werden gefahren?

Errechnen Sie die Anzahl der Kilometer. Tipp: Bedenken Sie die Hin- und Rückfahrt.

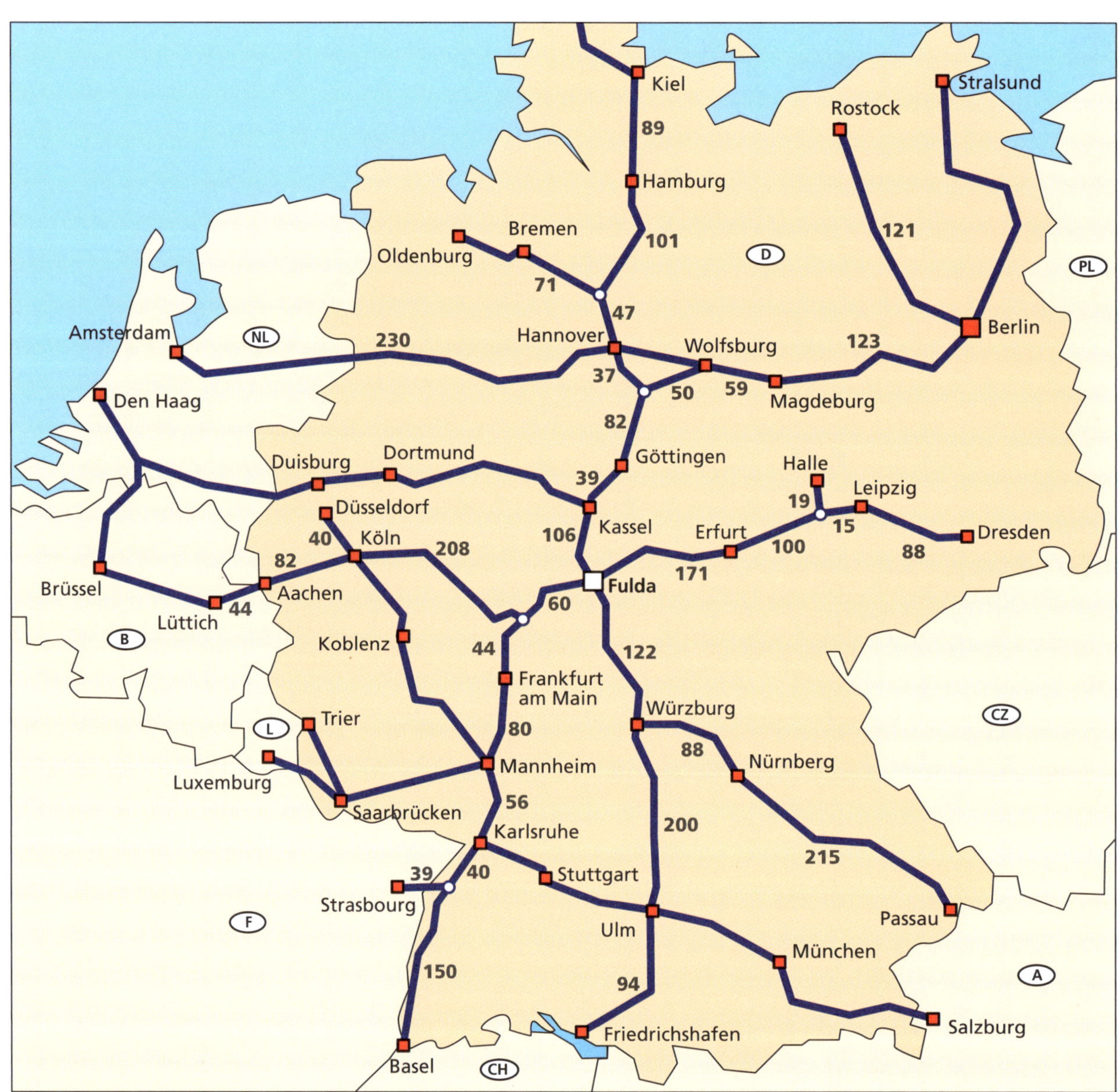

Geschäftsreise: Für das kommende Jahr plant Herr Müller langfristig den Besuch seiner 24 Großkunden. Er arbeitet als Handelsvertreter für eine Weltfirma in der Metallbranche. Der Firmensitz ist in Fulda.

Die Partnerfirmen, die er besucht, liegen in Industriegebieten und sind mit öffentlichen Verkehrsmitteln schlecht erreichbar. Deshalb fährt er mit dem Auto zu seinen Kunden. Damit Herr Müller entspannt ankommt, fährt er immer am Vortag los, übernachtet einmal und fährt noch am Tag des Besuchs wieder zurück. Er besucht also zwei Kunden im Monat an zwei verschiedenen Tagen. Es hat sich nicht bewährt, die beiden Kundentermine eines Monats miteinander zu verbinden.

Wie viele Kilometer legt Herr Müller im jeweiligen Monat zurück?

	Monat	Städte		Nr.	Entfernung
1.	Januar:	• **Erfurt** • **Kassel**		10	956 km
2.	Februar:	• **Göttingen** • **Frankfurt**		3	1302 km
3.	März:	• **Straßburg** • **Basel**		4	1430 km
4.	April:	• **Aachen** • **Lüttich**		8	1448 km
5.	Mai:	• **Bremen** • **Amsterdam**		12	2162 km
6.	Juni:	• **Köln** • **Nürnberg**		6	554 km
7.	Juli:	• **Hannover** • **Berlin**		1	1498 km
8.	August:	• **Wolfsburg** • **Dresden**		2	1052 km
9.	September:	• **Friedrichshafen** • **Düsseldorf**		7	1752 km
10.	Oktober:	• **Kiel** • **Rostock**		11	1488 km
11.	November:	• **Karlsruhe** • **Leipzig**		9	498 km
12.	Dezember:	• **Halle** • **Passau**		5	1446 km

Welcher Termin der Arbeitswoche passt?

Lesen Sie die Sätze und ordnen Sie die Ereignisse den Zeiten im Terminkalender zu.

Frau Benzingers Terminkalender ist ziemlich voll. Sie arbeitet in verantwortlicher Position in einem großen Unternehmen. Sie ist aus dem Urlaub zurückgekommen und will für die übernächste Woche die Termine eintragen. Frau Benzinger belegt nach und nach die freien Termine.

1. Außentermin vor Ort, 4 Stunden am Montagnachmittag
2. 15 Minuten Lagebesprechungen mit acht Stabsstellen gleich am Montag, alle hintereinander terminiert
3. Projektgruppe A Ergebnisse: Die Sitzung braucht 2 Stunden Zeit am Vormittag und muss vor Mittwoch stattfinden
4. Telefonate mit Zulieferern am Dienstag vor 10 Uhr
5. Skype-Termin mit Kollegin in London, so früh wie möglich am Donnerstag, 1 Stunde
6. 1 Stunde Tennis am fünften Tag in der Woche nach 18 Uhr
7. Team-Event zum Projektende, Mittwoch nach 16 Uhr, Ende offen
8. Privater Termin, Donnerstag ab 15 Uhr für 2 Stunden
9. Auswärtiges Frühstück mit wichtigem Geschäftspartner, 3 Stunden
10. Baustellenbesichtigung, Mittwoch am ganzen Vormittag
11. Drei Stunden freie Zeit pro Woche zum Nachdenken über Strategie und Ziele sind ihr wichtig
12. Massagepraxis Freitagvormittag

Ordner | Schreibtisch

Termine Heute | Datum suchen | Tage | Wochen | Monate | neuer Termin | Termine ändern | E-Mail schreiben | Adressbuch | Adresse suchen

Terminkalender durchsuchen

	Montag	Dienstag	Mittwoch	Donnerstag	Freitag	Samstag
8:00 – 9:00	belegt	belegt	9	1	belegt	belegt
9:00 – 10:00	belegt	4			belegt	belegt
10:00 – 11:00	12	belegt		belegt	5	8
11:00 – 12:00		7		belegt	belegt	
12:00 – 13:00	belegt				belegt	
13:00 – 14:00	keine Termine, Mittagspause					
14:00 – 15:00	belegt				2	belegt
15:00 – 16:00	3	belegt		6		belegt
16:00 – 17:00		belegt	10			belegt
17:00 – 18:00						belegt
18:00 – 19:00					11	belegt

11:37 | 21.01.20..

Hinweis für Therapeutinnen und Therapeuten

So wird es gemacht:
Öffnen Sie das miniLÜK®-Kontrollgerät und legen Sie die Plättchen in der Reihenfolge von 1 – 12 in den unbedruckten Deckel.

Jetzt sehen Sie auf den Plättchen und auf dem Geräteboden die Zahlen von 1. bis 12.

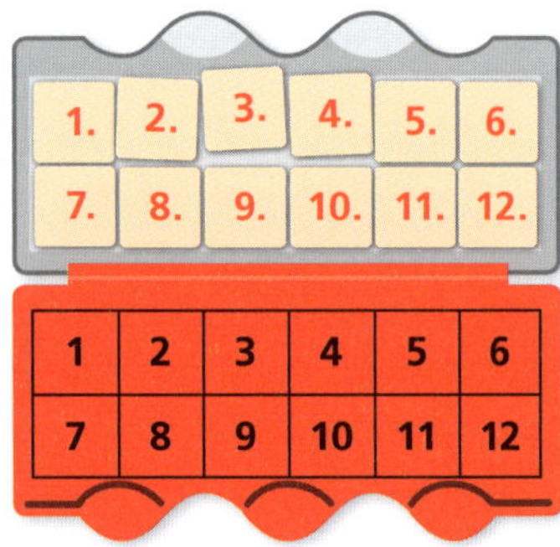

Beispielübung Seite 8
Nehmen Sie das Plättchen  und sehen Sie sich die Aufgabe 1 auf der Seite 8 an:
Wie geht der Satz weiter?

Aufgabe:
Vervollständigen Sie den jeweiligen Satz.

1. Wenn ich schlecht sehe, …

Lösung:
… dann brauche ich eine Brille, 3

3 … dann brauche ich eine Brille.

Legen Sie Plättchen 1. auf die 3 im Kontrollgerät. Die Zahl 1 muss nach oben zeigen.

So arbeiten Sie weiter, bis alle Plättchen im Geräteboden liegen. Schließen Sie dann das Gerät und drehen Sie es um. Öffnen Sie es von der Rückseite.

Wenn Sie das bei der Übungsreihe abgebildete Lösungsmuster sehen, haben Sie alle Aufgaben richtig gelöst.

Passen einige Plättchen nicht in das Muster, dann haben Sie dort Fehler gemacht.

Drehen Sie diese Plättchen da, wo sie liegen um. Schließen Sie das Gerät, drehen Sie es erneut um und öffnen Sie es wieder.

Jetzt können Sie sehen, welche Aufgaben Sie falsch gelöst haben. Nehmen Sie diese Plättchen heraus, drehen Sie sie um, und suchen Sie die richtigen Ergebnisse. Kontrollieren Sie noch einmal. Stimmt jetzt das Muster?

Das System ist für alle Übungen gleich:

Die roten Aufgabennummern im Heft entsprechen immer den miniLÜK®-Plättchen aus dem Kontrollgerät. Die Feldzahlen bei den Lösungen sagen Ihnen, auf welche Felder im Kontrollgerät die Plättchen gelegt werden.

Tabelle | **Selbst- und Fremdeinschätzung der Leistung**

	Name			Name			Name			Bemerkungen
Datum	Übung	Zeit	Fehler	Übung	Zeit	Fehler	Übung	Zeit	Fehler	

	Name			Name			Name			Bemerkungen
Datum	Übung	Zeit	Fehler	Übung	Zeit	Fehler	Übung	Zeit	Fehler	

Literatur

Eibl, K. (2019). Sprachtherapie in der Neurologie, Geriatrie und Akutrehabilitation. München: Elsevier

Steiner, J. (2016). Aphasie im Kontext. Einführung in die Praxis des alltagsorientierten Empowerments. Bern: szh